cuentos de ahora

El pirata Pepe

Ana María Romero Yebra / Mikel Valverde

PEPE ES UN PIRATA ALTO Y PELIRROJO,

CON PATA DE PALO Y PARCHE EN UN OJO.

TAMBIÉN LLEVA UN GARFIO PORQUE LA METRALLA
LE ARRANCÓ LA MANO EN UNA BATALLA.

ES DUEÑO DE UN BARCO DE NEGRA BANDERA
QUE TIENE DOS HUESOS Y UNA CALAVERA.

PEPE Y SUS PIRATAS VAN A NAVEGAR

Y ASALTAN LOS BARCOS QUE SURCAN EL MAR.

LES ROBAN EL ORO, JOYAS Y RIQUEZAS,

Y SON MUY TEMIDOS POR ESTAS PROEZAS.

COMO RESULTADO DE SER TAN LADRÓN,

LLENO DE RIQUEZAS TIENE EL GALEÓN.

ENORMES TESOROS HAY EN LAS BODEGAS:

VERDES ESMERALDAS, COFRES DE MONEDAS...

... CORONAS, ANILLOS, PULSERAS, COLLARES,
DIAMANTES, RUBÍES, PERLAS DE LOS MARES...

AL PIRATA PEPE LE GUSTA CONTAR

TODAS LAS RIQUEZAS QUE PUDO ROBAR.

CADA VEZ QUE CUENTA TODO LO ROBADO,

TARDA MUCHO TIEMPO SIN OJO Y SIN MANO.

Y PIENSA, MUY TRISTE, QUE SU GALLARDÍA,

CON PATA DE PALO, YA NO LA TENÍA.

—YO ERA UN GENTIL MOZO, POBRE PERO HONRADO.

Y AHORA QUE SOY RICO, SOY MUY DESGRACIADO.

SI SIGO LUCHANDO, ME QUEDARÉ EN NADA.

LA VIDA SE HA HECHO PARA SER GOZADA.

HABLÓ A SUS PIRATAS Y DIJO QUE IBA
A EMPEZAR, DE NUEVO, UNA NUEVA VIDA.

SE BUSCÓ UNA ISLA DE BELLOS PAISAJES
Y OLVIDÓ LAS LUCHAS Y LOS ABORDAJES.

ENCONTRÓ UNA NOVIA DE GRAN HERMOSURA

A LA QUE CONTABA VIAJES Y AVENTURAS.

ENTRE SUS PIRATAS REPARTIÓ EL BOTÍN
Y SE QUEDÓ SIEMPRE TRANQUILO Y FELIZ.